FONDAZIONE GIORGIO CINI
ISTITUTO ITALIANO ANTONIO VIVALDI

ANTONIO VIVALDI

Perfidissimo cor! Iniquo fato!

CANTATA
PER CONTRALTO E BASSO CONTINUO
RV 674

EDIZIONE CRITICA
A CURA DI
FRANCESCO DEGRADA

RICORDI

Comitato editoriale / Editorial Committee

III

Prefazione generale

I criteri che guidano la nuova edizione critica delle opere di Antonio Vivaldi sono analiticamente esposti nelle Norme editoriali, *redatte a cura del Comitato Editoriale dell'Istituto Italiano Antonio Vivaldi. Se ne offre qui un estratto che descrive, nei termini indispensabili alla comprensione della partitura, la tecnica editoriale adottata.*

L'edizione si propone di presentare un testo il più possibile fedele alle intenzioni del compositore, così come sono ricostruibili sulla base delle fonti, alla luce della prassi di notazione contemporanea e delle coeve convenzioni esecutive.

La tecnica di edizione adottata per opere singole o gruppi di opere è illustrata nelle Note critiche. *Esse contengono di norma:*

1. *Una trattazione dell'origine e delle caratteristiche generali della composizione (o delle composizioni).*
2. *Un elenco delle fonti (comprese le fonti letterarie quando rivestano particolare importanza).*
3. *Una descrizione di tutte le fonti che il curatore ha collazionato o consultato, comprese le più importanti edizioni moderne.*
4. *Una relazione e una spiegazione relative alle scelte testuali derivanti dallo stato delle fonti e dalle loro reciproche relazioni e alle soluzioni adottate per composizioni particolarmente problematiche, non previste nella* Prefazione generale. *In particolare viene specificato quale fonte è usata come* fonte principale *dell'edizione, quale (o quali) sono state* collazionate, *consultate o* semplicemente *elencate.*
5. *Una discussione sulla prassi esecutiva relativa alla composizione o alle composizioni edite.*
6. *Un apparato critico dedicato alla lezione originale e alla sua interpretazione, contenente la registrazione di tutte le varianti rispetto alla fonte principale e alle fonti collazionate.*

Ogni intervento del curatore sul testo che vada al di là della pura traslitterazione della notazione antica o che non corrisponda a un preciso sistema di conversione grafica qui segnalato, viene menzionato nelle Note critiche *o evidenziato attraverso specifici segni:*

1. *Parentesi rotonde (per indicazioni espressive o esecutive mancanti nelle fonti e aggiunte per assimilazione orizzontale o verticale; per correzioni e aggiunte del curatore laddove nessuna delle fonti fornisce, a suo giudizio, un testo corretto).*
2. *Corpo tipografico minore (per l'integrazione del testo letterario incompleto o carente sotto la linea o le linee del canto; per le indicazioni « solo » e « tutti » aggiunte dal curatore; per la realizzazione del basso continuo per strumento a tastiera).*
3. *Linee tratteggiate ⁓ per legature di articolazione o di valore aggiunte dal curatore.*
4. *Semiparentesi quadre ⌐ ¬ per il testo musicale o letterario di un rigo derivato in modo esplicito (mediante abbreviazione) o implicito da un altro rigo.*

Non vengono di norma segnalati nell'edizione gli interventi del curatore nei casi seguenti:

I) *Quando viene aggiunta una legatura tra l'appoggiatura e la nota principale. Questa regola vale anche nel caso di gruppi di note con funzione di appoggiatura.*
II) *Quando segni di articolazione (per esempio punti di staccato) sono aggiunti a una serie di segni simili per assimilazione, sulla base di inequivocabili indicazioni della fonte.*
III) *Quando la punteggiatura viene corretta, normalizzata o modernizzata; lo stesso vale per l'ortografia e l'uso delle maiuscole.*
IV) *Quando abbreviazioni comunemente usate vengono sciolte.*
V) *Quando pause di un'intera battuta mancanti nella fonte vengono aggiunte, e non c'è alcun dubbio che una parte del testo musicale sia stata inavvertitamente omessa.*
VI) *Quando vengono introdotti dal curatore segni ritmici indicanti modalità di esecuzione.*

L'ordine delle parti strumentali nella partitura segue la prassi editoriale moderna.

La notazione trasposta dell'originale (per il violone, il flautino, il corno) viene mantenuta nell'edizione; nelle Note critiche *viene specificato l'intervallo di trasposizione dei singoli strumenti (con l'eccezione del violone). Parti in notazione di « bassetto » (violini, viole, clarinetti, chalumeaux, ecc.) sono trascritte nelle chiavi di violino e di contralto e nell'ottava appropriata.*

IV

Nelle Note critiche *l'altezza dei suoni viene così citata:*

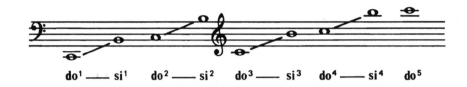

do¹ —— si¹ —— do² —— si² —— do³ —— si³ —— do⁴ —— si⁴ —— do⁵

Le armature di chiave sono modernizzate per intere composizioni o per singoli movimenti, e l'armatura di chiave originale è indicata nelle Note critiche. *L'edizione usa le seguenti chiavi: per le parti strumentali, le chiavi di violino, di contralto, di tenore e di basso secondo l'uso moderno; per le parti vocali, la chiave di violino, la chiave di violino tenorizzata e la chiave di basso. Le chiavi originali o i cambiamenti di chiave sono registrati nelle* Note critiche.
Per quanto concerne il trattamento delle alterazioni, le fonti settecentesche della musica di Vivaldi seguono l'antica convenzione secondo la quale le inflessioni cromatiche mantengono la loro validità solamente per il tempo in cui la nota alla quale è premessa l'alterazione è ripetuta senza essere interrotta da altri valori melodici, indipendentemente dalla stanghetta di battuta. Pertanto la traslitterazione nella notazione moderna comporta l'automatica aggiunta di certe alterazioni e la soppressione di altre. Inflessioni cromatiche non esplicite nella notazione della fonte originale, ma aggiunte dal curatore, sono segnalate, quando è possibile, nella partitura, mettendo tra parentesi l'alterazione o le alterazioni introdotte. Se la stessa alterazione è presente nell'armatura di chiave, ovvero appare precedentemente nella stessa battuta, mantenendo dunque, secondo le convenzioni moderne, la propria validità, l'intervento del curatore viene segnalato nelle Note critiche, *dove viene offerta la lezione originale.*
Il basso continuo per strumento a tastiera è notato su due righi. Il rigo superiore contiene la realizzazione del curatore stampata in corpo minore. Essa non è da intendersi tout-court come una parte per la mano destra, dato che alcune note potranno legittimamente essere intese per la mano sinistra dell'esecutore. Il rigo inferiore che, in quanto parte di basso si riferisce spesso non solo agli strumenti del continuo, ma a tutti gli strumenti gravi dell'orchestra, è fornito di tutte le numeriche del basso esistenti nell'originale, stampate sotto di esso. Queste numeriche possono essere, se necessario, corrette dal curatore, che tuttavia non ne aggiungerà di nuove. Le alterazioni sono apposte davanti alle numeriche cui si riferiscono e i tratti trasversali indicanti l'alterazione cromatica di una nota (ᶚ) sono sostituiti dal diesis o dal bequadro corrispondenti. L'abbassamento di un semitono di una cifra del basso precedentemente diesizzata, è sempre indicata col segno di bequadro, anche se le fonti, talvolta, usano per lo stesso scopo il segno di bemolle. Le indicazioni «solo» e «tutti» nel basso, sempre in carattere minore se aggiunte dal curatore, si riferiscono a cambiamenti nella strumentazione della linea del basso, descritti più analiticamente nelle Note critiche. *Particolari figurazioni ritmiche nella linea del basso non devono necessariamente essere eseguite da tutti gli strumenti del continuo: così, veloci disegni in scala possono essere affidati ai soli strumenti ad arco; a sua volta il clavicembalo può suddividere in valori più brevi lunghe note tenute dal basso, dove questo si addica alla generale struttura ritmica del brano.*
Quando la ripetizione del «Da Capo» non è scritta per esteso (come avviene per lo più nelle composizioni vocali), la prima sezione deve essere ripetuta dall'inizio o dal segno ✕, sino alla cadenza della tonalità fondamentale, contrassegnata generalmente da una corona, o sino al segno ✕. Nelle arie e in composizioni vocali simili, il «Da Capo» deve essere eseguito dal solista (o dai solisti) con nuovi abbellimenti, in armonia con il carattere ritmico e melodico del brano.
Nei recitativi, le appoggiature per la parte di canto non vengono indicate una per una nel testo dell'edizione; pertanto il cantante deve compiere sempre una scelta giudiziosa del luogo ove introdurle. Di norma sono richieste in tutte le formule cadenzali nelle quali c'è un intervallo discendente prima dell'ultima sillaba accentata di una frase; se l'intervallo è una seconda o una terza maggiore o minore, la sillaba accentata è cantata un tono o un semitono sopra (secondo l'accordo sottostante) rispetto alla nota successiva; se l'intervallo è più ampio di una terza, la silla-

ba accentata è intonata alla stessa altezza della nota precedente. Questo vale sia che il basso abbia o non abbia una cadenza, sia che la nota dell'appoggiatura sia consonante o meno col basso. Talvolta si possono introdurre appoggiature anche all'interno di una frase, per dare importanza a certe parole, anche quando l'ultima sillaba accentata è raggiunta partendo da una nota inferiore. Ma anche in questo caso, la nota dell'appoggiatura deve essere più alta rispetto alla nota successiva; appoggiature ascendenti possono essere consigliabili in frasi che terminano con un punto di domanda o che richiedano una particolare espressività. Nei recitativi, quando non altrimenti indicato, tutte le note del basso e gli accordi corrispondenti del rigo superiore devono essere eseguiti come « attacchi » di breve durata; questo, in particolare, nella musica vocale profana. Devono essere tenuti solo gli accordi alla fine di un recitativo, segnalata da una corona. Il trattamento ritmico degli accordi delle cadenze nell'accompagnamento dei recitativi è generalmente suggerito, nell'edizione, dalla realizzazione del basso continuo; ritardare troppo gli accordi sulle cadenze non è consigliabile nei recitativi di composizioni profane. Le « cadenze posposte », nelle quali la nota del basso entra dopo che la voce ha smesso di cantare, sono suggerite nell'edizione solo per conclusioni cadenzali particolarmente importanti, mediante l'inserzione di una virgola tra parentesi sopra il rigo superiore e inferiore. Dopo una cadenza, nel corso di un recitativo, è da evitare un ritardo nell'attacco della frase successiva, a meno che una virgola tra parentesi non lo richieda espressamente.

Gli abbellimenti vocali e strumentali diversi da quelli da impiegarsi nel « Da Capo » e nei recitativi, sono aggiunti dal curatore (tra parentesi) se assenti nella fonte, nei punti in cui sono di norma richiesti dalle convenzioni esecutive dell'epoca di Vivaldi. Se la fonte indica o sottintende una cadenza, questo verrà specificato nelle Note critiche, ma di norma non ne verrà offerta una realizzazione. Nelle arie con « Da Capo » è richiesta di solito una cadenza almeno alla fine dell'ultima sezione, e spesso anche alla fine della seconda (quella centrale); ciò non verrà specificato caso per caso nelle Note critiche, salvo laddove occorra chiarire l'esatta posizione della cadenza stessa.

General Preface

The guiding principles behind the new, critical edition of the works of Antonio Vivaldi are set out in detail in the *Editorial Norms* agreed by the Editorial Committee of the Istituto Italiano Antonio Vivaldi. We give below a summary which describes, in terms essential to the understanding of the score, the editorial principles adopted. The editon aims at maximum fidelity to the composer's intentions as ascertained from the sources in the light of the contemporary notational and performance practice.

The editorial method employed for single works or groups of works is described in the *Critical Notes*, which normally contain:

1. A statement of the origin and general characteristics of the compositions.
2. A list of sources, including literary sources when relevant.
3. A description of all the sources collated or consulted by the editor, including the most important modern editions.
4. An account and explanation of decisions about the text arising from the state of the sources and their interrelationship, and of solutions adopted for compositions presenting special problems, unless these are already covered in the *General Preface*. In particular, it will be made clear which source has been used as the *main source* of the edition, and which others have been *collated, consulted* or merely *listed*.
5. A discussion of performance practice in regard to the composition(s) published.
6. A critical commentary concerned with original readings and their interpretation, which lists all variations existing between the main source and the collated sources.

All instances of editorial intervention which go beyond simple transliteration of the old notation or which do not conform to a precise system of graphical conversion described below will be mentioned in the *Critical Notes* or shown by special signs:

1. Round brackets (for marks of expression or directions to the performer absent in the sources and added through horizontal or vertical assimilation; for editorial emendations where none of the sources, in the editor's judgement, provides a correct text).
2. Small print (to complete an underlaid text when some or all words are missing; for the editorial indications "solo" and "tutti"; for the realization for keyboard of the continuo).
3. Broken lines ⁓⁓⁓⁓⁓ for slurs and ties added editorially.
4. Square half-brackets ⌐   ⌐ for musical or literary text derived explicitly (by means of a cue) or implicitly from that on (or under) another staff.

Normally, the editor will intervene tacitly in the following cases:

I)   When a slur linking an appoggiatura to the main note is added. This applies also to groups of notes functioning as appoggiaturas.
II) When marks of articulation (e.g. staccato dots) are added to a series of similar marks by assimilation and the source leaves no doubt that this is intended.
III) When punctuation is corrected, normalized or modernized; the same applies to spelling and capitalization.
IV) When commonly-used abbreviations are resolved.
V)   When whole-bar rests absent in the source are added, there being no reason to think that a portion of musical text has inadvertently been omitted.
VI) When editorial rhythmic signs indicating a manner of performance are added.

The order of the instrumental parts in the score follows modern publishing practice.
Transposing notation in the original (for *violone, flautino,* horn) is retained in the edition; in the *Critical Notes* the interval of transposition of individual instruments (*violone* excepted) will be specified. Parts in "bassetto" notation (violins, violas, clarinets, chalumeaux, etc.) are written out in the appropriate octave using treble or alto clefs.

In the *Critical Notes*, the pitches are cited according to the following system:

C —— B   c —— b   c' —— b'   c" —— b"   c'''

The key signatures of whole compositions or individual movements are modernized where appropriate and the original key signature given in the *Critical Notes*. The edition employs the following clefs: for instrumental parts, treble, alto, tenor and bass clefs following modern usage; for vocal parts, treble, "tenor G" and bass clefs. Original clefs or clef changes are recorded in the *Critical Notes*.

In regard to the treatment of accidentals, the 18th-century sources of Vivaldi's music adhere to the old convention whereby chromatic inflections retain their validity for only so long as the note to which an accidental has been prefixed is repeated without interruption, irrespective of barlines. Conversion to modern notation thus entails the tacit addition of some accidentals and the suppression of others. Chromatic inflections not made explicit in the notation of the original source but supplied editorially are shown where possible in the score, the one or more accidentals entailed being enclosed in parentheses. If the same accidental is present in the key signature or appears earlier in the same bar, therefore remaining valid under the modern convention, the editorial intervention is recorded in the *Critical Notes*, where the original reading is given.

The *basso continuo* for keyboard is notated on two staves. The upper staff contains the editorial realization. This should not be understood *tout court* as a part for the right hand, since certain notes may be intended for the performer's left hand. The lower staff, which as a bass part often has to be played not merely by continuo instruments but also by all the "low" instruments of the orchestra, includes all the bass figures present in the original, which are printed below it. Where necessary, these figures may be corrected by the editor, who will not add any new figures, however. Accidentals precede the figures to which they refer, and cross-strokes indicating the chromatic inflection of a note (♯) are replaced by the appropriate accidental. The lowering by a semitone of a previously sharpened bass figure is always indicated by the natural sign, although the sources sometimes use the flat sign synonymously. The indications "solo" and "tutti" in the bass, always in small print if editorial, call for changes in the instrumentation of the bass line, which are described more specifically in the *Critical Notes*. Rhythmic figurations in the bass line are not necessarily meant to be performed on all participating instruments; thus, rapid scales may be left to the stringed bass instruments, while the harpsichord may split sustained bass notes into shorter values, where this conforms to the general rhythm of the piece.

Where the "Da Capo" repeat is not written out (mostly in vocal pieces), the first section has to be repeated, from the beginning or from the sign ✕✕ until the tonic cadence at the end of this section, which is usually marked by a fermata, or until the sign ✕✕. In arias and similar vocal pieces the "Da Capo" repeat should be performed by the soloist(s) with new embellishments in accordance with the rhythmic and melodic character of the piece.

In recitatives the appoggiaturas for the singer are not indicated individually in the main text of the edition, as the singer has always to make a judicious selection of the places where to sing them. They are normally expected in all cadential formulas where there is a falling interval before the last accented syllable of a phrase; if the interval is a minor or major second or third, the accented syllable is sung a tone or semitone higher (according to the harmony) than the following note; if the interval is larger than a third, the accented syllable is sung at the same pitch as the preceding note. This is valid whether or not the bass actually cadences at that point, and whether or not the appoggiatura is consonant or dissonant with the bass. Occasionally, appoggiaturas can also be sung within a phrase, to lend emphasis to certain words — even when the last accented syllable is approached from below. Here, too, the appoggiatura should lie above the note following it, but rising appoggiaturas may be appropriate in phrases ending with a question mark or where special expressiveness is required. All bass notes of the recitatives, including the corresponding chords in the upper staff, should be performed as short "attacks", at least in secular music, where not otherwise indicated. Sustained chords are limited to those at the end of a recitative, marked by a fermata.

The rhythmic treatment of cadential chords in the accompaniment of recitative is usually suggested in the edition by the continuo realization; longer delays of the cadential chords are not appropriate in secular recitative. "Postponed cadences", where the bass note enters after the voice has finished, are suggested in the edition only at major stopping points, by the insertion of a bracketed comma in the upper and lower staff at this juncture. After a cadence within the course of a recitative there should be no delay in the attack of the next phrase, unless a bracketed comma specifically calls for it.

Other vocal and instrumental embellishments than those in "Da Capo" repeats and in recitatives are supplied editorially (in brackets) if absent from the source, where they are normally required by the performing conventions of Vivaldi's age. If the source indicates of implies a cadenza, this will be pointed out in the *Critical Notes*, but normally no specimen of one will be supplied. In "Da Capo" arias cadenzas are usually expected at least at the end of the last section, and often also at the end of the second (middle) section; this will not be specifically pointed out in the *Critical Notes* except in cases where the exact position of the cadenza needs clarification.

Perfidissimo cor! Iniquo fato!
Cantata per contralto e basso continuo RV 674

(Recitativo)

Per - fi - dis - si - mo cor! I - ni - quo fa - to! I - ni - quis - si - mo a -

- mor! Tir - si spie - ta - to! Do - v'è, do - v'è l'a -

- mo - re, Che per me nel tuo co - re si nu - tri - va?

2

3

Larghetto

Nel tor-bi-do mio pet-to S'ag-gi-ra un'om-bra squal-li-da Di sde-gno e cru-del-tà, Di sde - - -

PR 1315

4

6

- gno e cru - del - tà, S'ag - gi - ra un'om - bra squal-li-da Di

sde - gno e cru - del - tà.

E que - st'è la ven - det - ta Che

8

10

Più a - mar non spe - ro,

PR 1315

12

13

il
pri - mo In - fi - do mi tra - dì, m'in - gan - nò, m'in - gan -

50
-nò, m'in - gan - nò.

14

Mi - se - ra an - cor per me, Che an - cor non spe - ro fé Se

l'a - mor mio sva - nì, sva - nì, sva - nì. Mi -

- se - ra an - cor per me, Che più non spe - ro, non spe - ro fé Se

l'a - mor mio sva - nì, sva - nì, sva - nì.

Da Capo

Note critiche

La cantata *Perfidissimo cor! Iniquo fato!*, RV 674, per contralto e basso continuo, è pervenuta attraverso un'unica fonte, conservata presso la Sächsische Landesbibliothek di Dresda (Mus. 1-J-7, pp. 114-120).[1] Il manoscritto, parzialmente autografo, è costituito da un quaderno composto di due doppie carte di formato oblungo inserite l'una nell'altra, che misurano cm. 23 per 31 circa, cui corrispondono sette pagine di notazione musicale; della p. 119 sono stati utilizzati solo i primi sei righi; i rimanenti quattro, così come la pagina 120, sono rimasti inutilizzati. Nella parte superiore della p. 114 appare, al centro, l'intestazione «Cantata» e a destra, alla stessa altezza, l'attestazione di paternità, «Del Viualdi». Immediatamente sotto, a destra appare l'indicazione «N 6.», che si riferisce probabilmente alla posizione della cantata all'interno del manoscritto. A p. 119 manca l'indicazione «Finis», ma le doppie sbarre finali hanno un prolungamento sinuoso al centro, che segnala il fatto che la cantata termina a questo punto; inoltre la cantata presenta nel suo insieme, sia dal punto di vista musicale, sia da quello testuale, una struttura coerente, e ciò dà la certezza che l'opera è giunta nella sua integrità.

Ogni pagina comprende dieci pentagrammi e la musica è notata su cinque sistemi di due pentagrammi ciascuno; quello superiore è in chiave di contralto, quello inferiore in chiave di basso, senza indicazioni relative alla voce o agli strumenti di accompagnamento. Si tratta tuttavia chiaramente di una composizione per voce di contralto e basso continuo.

Il manoscritto, come si accennava, è parzialmente autografo. Vivaldi ha steso integralmente i primi tre movimenti e le battute iniziali dell'ultimo. A partire dal quarto sistema della p. 117 Vivaldi ha lasciato a un copista il compito di trascrivere l'ultima parte della composizione, pur avendo già scritto lui stesso tutte le chiavi di tale pagina, le graffe di unione dei sistemi ed inserito l'armatura di chiave di un bemolle. L'armatura fu successivamente erasa (probabilmente dal copista), il che diede luogo a una serie di imprecisioni nella notazione delle alterazioni dell'ultima aria, analiticamente registrate nell'Apparato critico. Vivaldi provvide comunque a scrivere tutto il testo poetico della cantata così come tutte le indicazioni di tempo; sua è anche l'indicazione «D.C.» (*Da Capo*) posta alla fine dell'ultima aria.

La cantata, basata su un testo di autore ignoto e di modestissimo valore poetico, presenta la struttura Recitativo-Aria-Recitativo-Aria.

La prima aria è costituita da due terzine di settenari; la seconda da due terzine di settenari tronchi. Entrambe prevedono il consueto *da capo*; ciò significa che la prima parte di ogni aria (prima aria, bb. 1-27, terzo tempo; seconda aria, bb. 1-57) deve essere intonata due volte. Poiché non abbiamo modificato in nulla il testo di Vivaldi, pare opportuno avvertire che la corona posta sul terzo tempo della b. 27 nella prima aria e sul secondo tempo della b. 57 nella seconda, deve essere considerata, nella prima intonazione, come inesistente. Similmente, la corona posta alla fine della seconda parte di ciascuna aria (rispettivamente alle bb. 37 e 73) ha un valore relativo e non assoluto; spetta all'interprete determinare giudiziosamente la durata dell'ultima nota precedente il *da capo*, tenendo anche conto del carattere tetico o anacrusico dell'inizio dell'aria.

Per quanto riguarda l'interpretazione, occorrerà appena ricordare la necessità di una ripresa variata dei *da capo* (il che non esclude la moderata introduzione di abbellimenti e fioriture anche nelle altre parti dell'aria). Punti opportuni per l'introduzione di eventuali cadenze paiono il secondo tempo della b. 25 e il quarto tempo della b. 36 nella prima aria, il secondo tempo della b. 72 nella seconda aria. Il recitativo andrà interpretato con molta scioltezza e libertà ritmica. Si raccomanda di iniziare i trilli con una chiara appoggiatura superiore.

Per quanto concerne gli strumenti del basso continuo, dovrebbero comprendere un violoncello e un clavicembalo (un'esecuzione con il solo clavicembalo è da escludere, tenendo conto della scrittura virtuosistica e idiomatica del violoncello in questa cantata). La realizzazione che qui si offre (pensata per il clavicembalo) è ovviamente una delle molte possibili, ed è da intendersi come proposta non vincolante, che l'interprete potrà elaborare o modificare a piacere. Mentre nelle arie l'elaborazione del basso continuo ha una relativa completezza, nei recitativi si propone esclusivamente di suggerire all'interprete lo schema armonico del basso (il tipo di accordo, non la modalità della sua esecuzione, che dovrà conformarsi alle fantasiose convenzioni della prassi esecutiva del primo Settecento).[2]

Altre avvertenze concernenti la prassi esecutiva sono contenute nella Prefazione generale.

Trascriviamo il testo della cantata.[3]

I *Recitativo*:

Perfidissimo cor! Iniquo fato!
Iniquissimo amor! Tirsi spietato![a]
Dov'è, dov'è l'amore,
che per me nel tuo core si nutriva?
Ah, lungi dal tuo petto
svanì sì fermo affetto.
Lo so bene, lo so, che se un amante
ottiene ciò che brama,
di poi più non si cura.
Ah disleal, ah ingrato!
Perfidissimo cor, Tirsi spietato!

II *Aria*:

Nel torbido mio petto
s'aggira un'ombra squallida
di sdegno e crudeltà.

E quest'è[b] la vendetta
che cancellar pretende
l'onta d'infedeltà.

III *Recitativo*:

Così dunque tradisci chi contenta
t'offerse i primi affetti?
Dimmi, qual fede mai
infido aver tu puoi, se chiaro vedi
che di tua fé il candore
si rassomiglia alla vernale brina,
che tocca un poco dall'artura face
in niente tutta si dissolve e sface.
Così per te, o inumano,
per crederti in amor ognuna cede.
Misera amante è quella che ti crede.

IV *Aria*:

Più amar non spero, no,
se il primo m'ingannò
e infido mi tradì.

Misera ancor per me,
che ancor non spero fé
se l'amor mio svanì.

[a] «Tirsi spietato.». Lo stesso nell'ultimo verso del primo recitativo.
[b] «E questi».

Apparato critico

movimento, battuta	strumento, voce	
II, 1	Contralto, Basso	Armatura di chiave: 1 bemolle.
II, 29	Basso	In chiave di tenore dal terzo tempo della b. 29 alla nota 9 inclusa di b. 31.
II, 34	Basso	In chiave di tenore dall'inizio della b. 34 alla nota 8 inclusa di b. 31.
II, 35	Basso	Nota 14 senza bemolle.
IV, 1	Contralto, Basso	Nessuna alterazione in chiave. Un originale bemolle posto sui sistemi di p. 117 è stato successivamente eraso. Questo può spiegare — insieme con l'intervento del copista — l'imprecisione con la quale sono state apposte le alterazioni nel corso di questo movimento (vedi le Note critiche).
IV, 2	Basso	Nota 1 senza bemolle.
IV, 5	Basso	Nota 3 senza bemolle.
IV, 12	Contralto	Nota 4 senza bemolle.
IV, 29	Basso	Nota 2 senza bemolle.
IV, 36	Basso	Nota 3 si^1 (*naturale*).
IV, 41	Basso	Nota 2 senza bemolle.
IV, 49	Contralto	Prime due note scritte erroneamente con gambo separato, ma unite successivamente da legatura, in quanto corrispondenti a un'unica sillaba.
IV, 50	Basso	Nota 2 scritta con poca chiarezza, ma indubbiamente la^2, come nel passo parallelo di b. 1.

Note

[1] Questa cantata è stata pubblicata in edizione moderna a cura di M. DUNHAM, in A. VIVALDI, *Cantatas for Solo Voice*, Part II, Madison, A-R Editions, 1979, pp. 23-33.

[2] Per una più ampia analisi dei problemi testuali, stilistici ed esecutivi delle cantate di Vivaldi, rimandiamo a un nostro volume monografico, in preparazione, che sarà edito nella serie « Quaderni vivaldiani » dell'Istituto Italiano Antonio Vivaldi.

[3] Si vedano anche le trascrizioni del testo — leggermente diverse dalla nostra — offerte da G. FOLENA in appendice al saggio *La cantata e Vivaldi* in *Antonio Vivaldi. Teatro musicale, cultura e società*, a cura di L. BIANCONI e G. MORELLI, Firenze, Olschki, 1982, pp. 175-176 e da M. DUNHAM, *Op. cit.*, Part I, p. XXII.

Critical Notes

The cantata Perfidissimo cor! Iniquo fato!, *RV 674, for contralto and continuo, has come down to us in a single source preserved in the Sächsische Landesbibliothek, Dresden (Mus. 1-J-7, pp. 114-120).[1] The manuscript, which is partly autograph, consists of a quire of four leaves comprising two nested bifolios in oblong format measuring approximately 23 by 31 cm and containing seven pages of musical notation; only the first six staves of p. 119 have been used; the remaining four and all of p. 120 are void of notation. The heading "Cantata" appears, centrally positioned, at the top of p. 114, and level with it, to the right of the page, the attribution of authorship "Del Viualdi". Immediately below the latter we find the inscription "N 6.", probably a reference to the position of the cantata within the manuscript. Although the direction "Finis" does not appear on p. 119, the final double bars have a wavy continuation in the middle which shows that the cantata ends at that point; moreover, the fact that, viewed as a whole, the cantata is structurally coherent in regard to both the literary and the musical text establishes beyond doubt that this work has survived in complete form.*

Each page contains ten staves, and the music is notated on five systems of two staves; of these the upper is in the alto clef and the lower in the bass clef, there being no indication of what type of voice and what accompanying instruments are intended. Clearly, however, this is a work for contralto voice and continuo.

As was mentioned, the manuscript is partly autograph. Vivaldi notated himself the first three movements and the opening bars of the last. From the fourth system on p. 117 onwards he left to a copyist the task of transcribing the last part of the work, having first written in all the clefs and brackets on that page as well as a key signature of one flat. This key signature was subsequently erased (probably by the copyist), an act that gave rise to a series of inaccuracies in the notation of accidentals in the final aria (these are described in the Critical Commentary). Vivaldi reserved for himself, however, the writing out of all the underlaid text and all the tempo directions; his, too, is the instruction "D.C." (Da Capo) placed at the end of the second aria.

Based on an anonymous text of very modest poetic worth, the cantata has the structure Recitative-Aria-Recitative-Aria.

The first aria consists of two tercets of seven-syllable lines; the second of two tercets of seven-syllable lines, all of which are tronco *(i.e., lacking the unstressed final syllable). Both arias exhibit the customary* da capo; *this means that the first section of each aria (first aria, bars 1-27, third beat; second aria, bars 1-57) has to be sung twice. Since we have refrained from altering Vivaldi's musical text in any way, it may help to point out that the fermata over the third beat of bar 27 in the first aria, and over the second beat of bar 57 in the second, should be ignored the first time round. Similarly, the fermata at the end of the second section of both arias (bars 37 and 73 respectively) has a relative, not absolute, value; it is up to the interpreter to use his good sense in determining the duration of the last note before the* da capo, *also taking acount of whether the aria opens on a strong beat or an upbeat.*

As regards the interpretation, it is hardly necessary to remind performers of the need to vary da capo *reprises (which does not exclude the moderate application of embellishments and* fioriture *to other sections of the aria as well). Suitable points for the possible introduction of cadenzas seem to be the second beat of bar 25 and the fourth beat of bar 36 in the first aria, and the second beat of bar 72 in the second aria. The recitative has to be sung with great facility and rhythmic freedom. It is recommended to begin trills with a distinct upper appoggiatura.*

As for the continuo instruments, they should comprise a cello and a harpsichord (a performance with harpsichord alone is ruled out by the virtuosic and idiomatic writing for the cello in this cantata). The realization offered here, conceived for harpsichord, is obviously only one of many possibilities and should be regarded as a non-obligatory suggestion that the performer is free to elaborate or change at pleasure. While the continuo realization in the arias is relatively complete as it stands, that in the recitatives aims only to convey to the performer the harmonic implications of the bass (the species of chord; not the modalities of its performance, which will have to conform to the richly imaginative conventions of the early eighteenth century).[2]

Other remarks on performance practice are contained in the General Preface.

The text of the cantata is given in the Italian version of these notes.[3]

Critical Commentary

movement, bar	instrument, voice	
II, 1	Contralto, Basso	Key signature of 1 flat.
II, 29	Basso	In the tenor clef from the third beat of bar 29 to note 9 of bar 31 inclusive.
II, 34	Basso	In the tenor clef from the start of bar 34 to note 8 of bar 31 inclusive.
II, 35	Basso	Note 14 without flat.
IV, 1	Contralto, Basso	Void key signature. An original flat prefaced to the systems on p. 117 was later erased. This, together with the employment of a copyist, can explain the inaccuracy with which accidentals have been applied during this movement (see Critical Notes).
IV, 2	Basso	Note 1 without flat.
IV, 5	Basso	Note 3 without flat.
IV, 12	Contralto	Note 4 without flat.
IV, 29	Basso	Note 2 without flat.
IV, 36	Basso	Note 3 B (flat).
IV, 41	Basso	Note 2 without flat.
IV, 49	Contralto	The first two notes, separately flagged by mistake, have subsequently been slurred to show that they are to be sung to a common syllable.
IV, 50	Basso	Note 2 written unclearly but undoubtedly intended to be a, as in the parallel passage in bar 1.

(Translation by Michael Talbot)

Notes

[1] This cantata has been published in a modern edition by M. DUNHAM in A. VIVALDI, Cantatas for Solo Voice, Part II, Madison, A-R Editions, 1979, pp. 23-33.

[2] For a fuller analysis of the textual, stylistic and practical performing problems of Vivaldi's cantatas, the reader is referred to a monograph the editor is currently preparing; this is to be published by the Istituto Italiano Antonio Vivaldi in its series "Quaderni vivaldiani".

[3] See also the transcriptions of the text (differing slightly from ours) provided by G. FOLENA in an appendix to his article La cantata e Vivaldi, in Antonio Vivaldi. Teatro musicale, cultura e società, eds. L. BIANCONI and G. MORELLI, Florence, Olschki, 1982, pp. 175-176, and by M. DUNHAM, Op. cit., Part I, p. XXII.

basso

Antonio Vivaldi
Perfidissimo cor! Iniquo fato!
Cantata per contralto e basso continuo RV 674
Revisione di Francesco Degrada

basso

3

Da Capo

PR 1315

4

PR 1315

Allegro non molto

Da Capo